Autre regard

sur...

Altaïr Editions est une marque des Points Cardinaux Communication - Ecully (Rhône)

Responsable éditorial : Pierre Gerbeaud
Réalisation : Nicolas Pewny

ISBN 2-915122-12-1

Lyon
au patrimoine mondial
world heritage

Textes et Photographies Yves Neyrolles

Traduction Charles Hadley

ALTAÏR Editions

Né en 1942 à Nantua (Ain), Yves Neyrolles pratique l'écriture et la photographie.

Travaillant dans la région lyonnaise depuis plus de trente ans, il a entrepris de faire le portrait de Lyon, dont il tente de fixer les singularités architecturales anciennes et contemporaines, les évènements, le rayonnement, la vie.

Il a illustré le dossier de candidature du Site historique de Lyon pour l'inscription de celui-ci sur la liste du Patrimoine mondial de l'Unesco.

Au fil de ses voyages, Yves Neyrolles réalise d'autres « portraits de ville », notamment de Rome, Venise, Sienne, Lisbonne, Porto, ou d'Alger dont il parcourt depuis quelques années les ruelles de la Casbah.

Yves Neyrolles a suivi et illustré le travail d'écriture de Patrick Laupin pour Les Visages et les Voix, le chemin de la Grand-Combe (Éditions Comp'Act, 2002) et photographié les dernières mises en scène de Roger Planchon.

Avec deux autres photographes, il suivit la création de 60 artistes qui ont eu à traiter, chacun à sa manière, l'animal emblématique de Lyon dans un lion de résine exposé ensuite dans toute la ville au cours de l'été 2004 (Lyon ou le rêve des lions, Emma Productions)

Yves Neyrolles, born in Nantua, France, in 1942, is both writer and photographer.

Over the more than thirty years he has worked in the Lyonnais region, he has undertaken a portrait of Lyon, trying to pin down its architectural features, both ancient and contemporary, its events, its influence and its life.

He provided the illustrations for the Lyon Historical Site's application to be listed among UNESCO's World Heritage Sites. In the course of his travels, Yves Neyrolles has made portraits of other cities, including Venice, Rome and the casbah in Algiers.

Yves Neyrolles accompanied and illustrated the writer Patrick Laupin's work on Les Visages et les Voix, le chemin de la Grand-Combe (Faces and Voices: The Grand-Combe Road, Éditions Comp'Act, 2002), and photographed Roger Planchon's last stage sets. He and two other photographers kept track of the sixty artists that were called upon to make fiberglass lions, the mascot of the city of Lyon, for an outdoor exhibit all over the city in the summer of 2004. (Lyon ou le rêve des lions, Emma Productions)

Tour d'escalier en vis au 16, rue du Bœuf.

Spiral staircase, 16 rue du Bœuf.

Toits du Vieux-Lyon et de la Croix-Rousse vus du haut de la cathédrale Saint-Jean.

Rooftops in Old Lyons and Croix Rousse hill seen from the top of Saint Jean's Cathedral.

Lyon aujourd'hui, quand on sait s'y arrêter, y flâner, ne manque pas de surprendre par cet air toscan que prennent, ici, les flancs de ses collines, là, une courbe de la rivière tardant à mêler ses eaux à celles du fleuve venu des Alpes, vieux taureau dompté à force de barrages et de digues en amont des hautes maisons qui se mirent le long des quais et dont les vitres simulent des incendies devant le soleil couchant. C'est, du reste, sur le site de Lugdunum que les Romains choisirent d'implanter une colonie nouvelle, colonie qui devint vite une ville, la Ville de cette Gaule récemment conquise, une sorte de Rome occidentale, avec aqueducs, théâtres, amphithéâtre, temples et palais où affluaient en nombre les représentants des Trois Gaules.

Et pourtant, que n'a-t-on dit de Lyon et que n'en dit-on pas encore ?

Prenons un des plus grands écrivains français du XXᵉ siècle : Julien Gracq. Dans les années soixante où il passait régulièrement par ici pour aller plus au sud, il note que cette ville ne lui était qu'une sorte de "purgatoire obligé" avant d'atteindre le paradis de la Provence.
Alphonse Daudet, quant à lui, décrit une cité brumeuse, enfumée et noire, pour l'accueil du Petit Chose et de sa famille, venus, eux, d'un Midi rayonnant, pour s'établir dans l'atmosphère humide du quartier Saint-Nizier.
Les exemples pourraient être multipliés à l'envi.

Lyon today cannot help but take by surprise anyone that knows where to stop and look; one might be in Tuscany: here, the hillsides, there, the winding tributary lingering before it mingles its waters with those of the river flowing to the sea from the Alps, that full-grown bull tamed by dams and dikes upstream from the tall houses set along the banks, their windowpanes set afire by the setting sun.
Small wonder that the Romans chose Lugdunum to set up a new colony, that would soon turn into a city, the City of the recently conquered Gaul, a Rome of the West, with aqueducts, theaters, an amphitheater, temples and palaces, where envoys from all three parts of Gaul came flooding in.

Yet what has not been said about Lyon, and what is not said yet today?

Think of Julien Gracq, one of the greatest French authors of the twentieth century. In the sixties, when he regularly went through here on his way south, he wrote that the city was nothing but a sort of "compulsory purgatory" for him before he could attain the Paradise of Provence.
Alphonse Daudet, for his part, described a foggy, smoke-blackened city to provide accommodations for the Litl'Un (le Petit Chose) and his family, who had come from a sun-drenched South to settle in the clammy surroundings of the Saintt Nizier district.
There are as many such examples as anyone could hope for.

S'il est vrai que Lyon fut au cours des derniers siècles justement associé à l'idée peu reluisante de la besogne, "labeur dur et forcé" (souvenons-nous de Baudelaire), du devoir impérieux de la rente, de l'épargne, de l'économie sur le moindre bouton, sur la moindre chandelle, c'est toute la ville qui, dans un élan inattendu de ferveur, s'illumine un soir pluvieux d'hiver pour remercier sa protectrice, Marie, Mère de Dieu, dont on inaugure alors, plus de deux siècles après s'y être engagé, une statue monumentale (couverte de feuilles d'or!) sur le clocher de la petite chapelle de Fourvière, dressée là, semble-t-il, depuis toujours, c'est-à-dire depuis la naissance de la chrétienté en Gaule.

Aujourd'hui, les longues nuits d'hiver, autour de cet incontournable 8 décembre, sont prétexte à des fêtes en l'honneur de la Lumière. Lumière! Lumière est le nom d'une illustre famille lyonnaise qui a offert au monde le talent de ses inventeurs: le premier procédé de photographie en couleurs et le cinématographe. Depuis quelques années, cette ville modeste, timorée même, en comparaison de Paris toujours pleine de danses, de dépenses et d'un luxe ostentatoire, cette ville d'arrière-boutique campée sur sa réserve quand la capitale trône sans cesse en vitrine, cette héritière mal récompensée des quelques grandes heures qu'elle a vécues sous les monarques de la Renaissance et sous les deux empires napoléoniens, cette cité industrieuse et inventive, repliée sur des savoir-faire qu'on vient de très loin tenter de lui ravir, ne voilà t-il pas qu'elle se réveille et qu'elle décide de se faire entendre, de se faire connaître, de paraître enfin sur la scène du monde et de jouer sa partie, pleine et entière, en toute liberté ?

Though it is true that over the course of recent centuries Lyon was with some justice linked with the rather gloomy idea of drudgery (think of Baudelaire: "hard forced labor"), the imperious duties of income, of frugality, of scrimping and saving down to the last collar-buttons and candle-stump, nonetheless the whole city lit up on a rainy winter evening in an unexpected outpouring of fervor, to give thanks to her protectress Mary Mother of God, thus inaugurating, two centuries after promising to, a huge statue (covered with gold-leaf) on the steeple of the little chapel at Fourvière, that seemed to have been standing there forever, that is, since the birth of Christianity in Gaul.

Today, the long winter nights before and after that inescapable eighth of December provide a pretext for festivities in honor of Light. Light! Lumière is the name of a luminous Lyonnais family of talented inventors that brought to the world the first technique for color photography and the cinema.
In recent years, this city, so modest, even bashful compared to dancing, spendthrift, flamboyantly luxurious Paris, a city thoroughly on its guard in the back of the shop, while the capital is always enthroned in the show-window, this heiress, nearly forgotten despite a few glorious hours under the Renaissance kings and the two Napoleonic empires, this industrious and inventive city, clinging to know-how people come from far away to try to wrest from her, is awakening and has decided to make herself heard, to make a place for herself on the world stage and to play her part, fully and completely and freely.

Un matin de décembre 1998, reconnaissance suprême, elle se voit inscrite sur la prestigieuse liste du Patrimoine mondial que dresse l'Unesco.

Dorénavant, elle a des rendez-vous avec le monde, elle s'offre, elle offre sa lumière, ses lumières, son talent, ses talents, et l'infinie variété de ses paysages, peuplés d'hommes et de femmes d'apparence sérieuse mais accueillants.

Étant venu vivre à Lyon et devenu peu à peu photographe, j'ai appris à mieux connaître une ville qui me parut d'abord plutôt rébarbative : étudiant resté quelque peu "sauvage", je n'avais de cesse de retrouver dès que possible la beauté, la fraîcheur, le calme de mes montagnes et de mes lacs, dans mon Haut Bugey. Multipliant au fil des ans les "voyages" dans la ville même, à travers ses "continents", j'ai multiplié aussi les prises de vues, tentant de capter cette sourde intensité de la vie que recèlent de toutes parts la pierre ancienne comme le métal associé au verre d'aujourd'hui, et parfois, au cœur de l'image, j'ai pu inscrire quelques passants qui ajoutent avec bonheur l'affleurement de leur propre rythme.

Je vis là, j'écris aussi, je photographie.

Yves Neyrolles

One morning in December of 1998 came the supreme recognition, when Lyon's name was added to the prestigious list of UNESCO World Heritage sites.

Henceforth, she sallies forth to meet to world, giving of herself and of her lights and of her talents and of her infinitely varied landscapes, peopled by men and women of serious mien but welcoming.

When I came to live in Lyon, and little by little took up photography, I came to know better a city that at first rather put me off. A somewhat reserved student, I was quick to return home to the beauties, the cool and the quiet of the mountains and lakes of my native Haut Bugey region.

As the years have come and gone, and I have "travelled" more and more in the city's "continents", I have taken more and more photographs, trying to capture on film the understated intensity of life that lies concealed everywhere, under age-old stone-work as well as behind the steel coupled with glass of today; on occasion, I have managed to etch a few passers-by into the heart of the image, where their rhythm adds a welcome touch.

I live here, and I write and take photographs.

LA RIVE DROITE DE LA SAÔNE

Sur la rive droite de la Saône s'est développée la ville ancienne, donnant au fil des âges deux des quatre quartiers du *Site historique de Lyon* : Fourvière où Lugdunum est fondée en 43 avant J.-C, et le Vieux-Lyon, centre économique, financier, religieux, administratif et artistique durant le Moyen Âge et la Renaissance. La ville se transforme alors, sous l'impulsion de riches négociants et de banquiers venus d'Italie. Des marchands de toute l'Europe sont attirés par les quatre foires annuelles. La cour de France fait ici de fréquents séjours, contribuant à la prospérité et au rayonnement de Lyon.

The ancient city grew up on the right bank of the Saône; over time, two of the four districts of the Lyon Historical Site *arose there: Fourvière, where Lugdunum was founded in 43 BCE, and Old Lyon, the economic, financial, religious, administrative and artistic center during the Middle Ages and the Renaissance. The city was made over, driven by the wealth of merchants and bankers from Italy. Traders from all over Europe came to the four yearly trade-fairs. The French royal court came here often, contributing to Lyon's prosperity and influence.*

L'aqueduc du Gier (début du IIe siècle) permettait l'adduction, depuis les flancs du mont Pilat jusqu'à la colline de Fourvière, d'une partie de l'eau nécessaire à la colonie romaine.

The Gier aqueduct (early 2nd century BCE) brought water from the slopes of Mont Pilat to the hill at Fourvière to supply part of the needs of the Roman colony.

Le Grand Théâtre romain, adossé à la colline, accueille aujourd'hui concerts et spectacles durant l'été.

The Romans' Great Theater, built into the hillside, where today concertas and other performances are put on in the summertime.

Façade occidentale de la basilique de Fourvière : les anges cariatides (sculpteur : Paul-Émile Millefaut) et l'entrée de la Vierge dans la Jérusalem Céleste (sculpteur : Charles Dufraine).

West face of the basilica at Fourvière, with its caryatid angels, sculpted by Paul-Émile Millefaut, and the Virgin's entrance into the Heavenly Jerusalem, by Charles Dufraine.

Dominant les vallées du Rhône et de la Saône, qui mélangent leurs eaux à ses pieds, le forum Vetus donnera son nom à la colline de Fourvière. Il est, durant toute l'Antiquité, le centre de la ville. Plus tard, avec l'épanouissement de la chrétienté, la colline se couvre d'édifices religieux abritant des congrégations, puis des missions grâce auxquelles le nom de Lyon rayonne encore aujourd'hui à travers le monde.

Même si la cathédrale, édifiée du XIe au XIVe siècle sur les bords de la Saône, est dédiée à saint Jean-Baptiste, les chrétiens de Lyon se sont depuis toujours mis sous la protection de Marie, mère de Jésus, pour qui une chapelle est dressée très tôt au sommet de la colline, à l'emplacement des temples romains.

Le 8 décembre 1852 est inaugurée une statue monumentale de la Vierge, dressée sur un clocher néo-roman. Ce soir-là, toute la ville s'illumine de petites bougies, posées sur le rebord des fenêtres. Cette date est devenue depuis lors une grande fête populaire, aussi bien pour les non croyants que pour les croyants.

La basilique, elle, est érigée à la fin du XIXe siècle, à la suite d'une souscription auprès des Lyonnais qui remercient Marie de les avoir protégés de l'invasion prussienne, en octobre 1870. Par cette construction, Pierre Bossan veut marier tous les styles d'architecture religieuse, ce qui donne à l'édifice son aspect inclassable. La mort de l'architecte oblige son collaborateur, Sainte-Marie-Perrin à poursuivre une œuvre qui, par manque de moyens financiers, demeurera inachevée.

Overlooking the Rhône and Saône valleys, with the waters of the two rivers swirling together at its feet, the Forum Vetus gave its name to Fourvière, and was the heart of the city throughout Antiquity.

Later, with the blossoming of Christianity, religious buildings covered the hill, to be home to religious orders and then to missions that would take the name of Lyon around the world.

Although the cathedral, built eon the banks of the Saône between the eleventh and fourteenth centuries, is dedicated to Saint John the Baptist, Catholics in Lyon have always called upon the protection of Mary, the mother of Jesus, in whose honor a chapel was erected very early on, where the Roman temples had been.

On December 8, 1852, a monumental statue of the Virgin, standing on a Neoromanesque steeple, was unveiled. That evening, the whole town was lit up with little candles set on the windowsills. The date has ever since been a popular festival among Catholics and others alike.

The basilica was built at the end of the nineteenth century, funded by a subscription taken up among the Lyonnais, in gratitude for not having been invaded by the Prussians in October of 1870. The architect, Pierre Bossan, wanted to bring together all the varieties of religious architecture in one building, which explains the unclassifiable appearance of the structure. At his death, his associate Sainte-Maire-Perrin was obliged to take over work that, due to lack of funds, ultimately remained incomplete.

Cour avec galeries Renaissance au 20, rue Juiverie.

Courtyard with Renaissance galleries, 20 rue Juiverie.

Escalier gothique
11, rue Saint-Jean.

*Gothic staircase,
11 rue Saint Jean.*

Ancien couvent dominant le Vieux-Lyon,
récemment transformé en hôtel de prestige.

*An ancient monastery overlooking the Old Lyon,
recently transformed into a luxury hotel.*

Au temps de l'exercice du pouvoir sur la ville par les nobles de l'Église, le « Chamarier » fait office de ministre de l'Intérieur auprès de l'archevêque et du chapitre de Saint-Jean. La maison de ce haut dignitaire est située près de la cathédrale, à la limite nord de l'enceinte canoniale fortifiée. Cette maison, qui appartient aujourd'hui à la Ville de Lyon et dont la restauration est en cours, est sans doute l'un des exemples les plus remarquables des belles demeures lyonnaises de la Renaissance, révélant l'extrême raffinement qu'a pu atteindre l'architecture de ce temps-là.

Le Vieux-Lyon est presque entièrement constitué de ces riches maisons des XVᵉ et XVIᵉ siècles. La plupart d'entre elles ont pu être sauvées des démolitions envisagées au siècle dernier, sous le prétexte d'assainir le quartier. Protégées et mises en valeur, elles restent bien vivantes, habitées par une population diverse, et visitées par de nombreux touristes.

At the time that the nobles of the Church had authority over the city, the "Chamarier" was the canon in charge of security for the Archbishopric and Saint John's Cathedral Chapter. The high official's house is located near the Cathedral, on the northern edge of the fortified cathedral complex. The house, now the property of the City of Lyon and currently undergoing restoration, is undoubtedly one of the most striking examples of Lyon's fine Renaissance townhouses, showing off the extraordinary refinement of the architecture of the period.

Old Lyon is almost entirely made up of the houses of the wealthy of the fifteenth and sixteenth centuries. Most of them were saved from the wrecking-ball during twentieth century slum-clearance programs. Now protected and set off to advantage, they live on, the diversity of their inhabitants equalled only by the numbers of tourists.

Traboule du 27 rue Saint-Jean :
cour, escalier et galeries Renaissance.

"A traboule" at 27 rue Saint Jean;
Renaissance courtyard, staircase and galleries.

Étagement des maisons sur la pente
dominant le quartier Saint-Georges.

Tiers of houses on the slope abovethe
Saint George district.

Une prouesse architecturale :escalier en vis
à noyau décentré au 10, rue Lainerie.

An architectural feat: a spiral
staircasewith off-centered hub.

31

Cour avec galerie sur trompes au 8, rue Juiverie
(architecte Philibert de l'Orme) : concert de musique ancienne.

*Courtyard with gallery supported by squinches at 8 rue Juiverie,
designed by Philibert de l'Orme; a concert of ancient music..*

Du haut de la Grande Roue, vue partielle sur le *Site historique
de Lyon :* la place Bellecour, la Presqu'île et les deux collines que
sépare le val sinueux de la Saône.

*From the top of the Ferris Wheel, part of the Lyon Historic Site:
Place Bellecour, the Presqu'île, and the two hills
that separate the winding Saône valley.*

Rosace occidentale (XIVᵉ siècle): détail.

The west rose window (16th century): detail.

Gargouilles de la façade occidentale: l'aigle
de Saint Jean et le lion de saint Marc.

*Gargoyles on the west side: the eagle of
Saint John and Saint Mark's lion.*

La cathédrale Saint-Jean vue de
l'esplanade de Fourvière.

*Saint John Cathedral from the esplanade
at Fourvière.*

LA RIVE GAUCHE
DE LA SAÔNE

Sur la rive gauche de la Saône, urbanisée dès l'époque gallo-romaine, vivait une population constituée essentiellement d'artisans et de commerçants pour qui les conquérants font construire un vaste amphithéâtre où sont proposés des spectacles populaires : combats d'animaux et de gladiateurs, mais aussi martyres des premiers chrétiens.

Un palais, dont quelques vestiges sont aujourd'hui présentés au musée de la Civilisation gallo-romaine, accueillait les représentants des soixante « nations » gauloises (réparties dans les Trois-Gaules) que Lugdunum, la capitale, réunit au mois d'août, le mois d'Auguste.

On the left bank of the Saône, a built-up area from the Gallo-Roman period onward, lived a population made up principally of craftsmen and tradespeople for whom the conquerors had a huge amphitheater built, where vast popular spectacles were put on: combats between animals and gladiators, as well as the martyrdoms of the earliest Christians.

A palace, remains of which can be seen at the Museum of Gallo-Roman Civilization, was where the representatives of the sixty Gaulish "nations" from the three parts of Gaul met in Lugdunum in August, the month of Augustus Caesar.

Les pentes de la colline de la Croix-Rousse, vues du Vieux-Lyon.

Croix-Rousse Hill, from Bonaparte Bridge on the Saône.

Un des points de vue remarquables depuis la montée des Carmes-Déchaussés, dans le Vieux-Lyon : la tour de la Part-Dieu, loin sur la rive gauche du Rhône, tend sa pointe de « crayon » entre les flèches de l'église Saint-Nizier, sur la Presqu'île.

An unusual cityscape, seen from the Montée des Carmes-Déchaussés (Discalced Carmelites) in Old Lyon: the Part-Dieu tower, far beyond the left bank of the Rhône, shows the tip of the "pencil" between the spires of Saint-Nizier Church in the Presqu'île.

« Navettes » dans l'atelier d'un des derniers canuts, ouvriers tisseurs de la soie, dont les révoltes, au XIXe siècle, ont porté dans le monde une autre image de Lyon, ville prête à « vivre en travaillant » ou à « mourir en combattant ».

Shuttles in the workshop of one of the last "canuts", the silk-weavers whose uprisings in the nineteenth century projected a different image of Lyon, of a city ready to "live working" or "die fighting".

Cour des Voraces : ancien immeuble atelier pour le tissage de la soie.

The Cour des Voraces, formerly a building of silk-weaving workshops.

Comme sa voisine de l'autre rive de la Saône, la colline de la Croix-Rousse se couvre d'édifices religieux qui, à l'époque de la Révolution française, sont vendus comme biens nationaux et à la place desquels la bourgeoisie lyonnaise fait construire, tout au long du XIXᵉ siècle, de hauts immeubles ateliers, destinés au travail de la soie.

Souvent des traboules traversent ces hautes maisons entre lesquelles se faufilent les degrés de montées escarpées, ouvrant des points de vue remarquables sur la ville.

Like its opposite number on the other side of the Saône, the Croix Rousse hill was covered with religious buildings that were sold at the time of the French Revolution as holdings of the nation; in their place, throughout the nineteenth century, the Lyonnais bourgeoisie had tall buildings put up to house looms to weave silk. "Traboules" often run through them, and stairways in the steep streets between the buildings provide vistas over the city.

L'école de tissage, construite de 1927 à 1933 par Tony Garnier, la maison des Chartreux (XVIIᵉ siècle) et le dôme de l'église Saint-Bruno (architectes : Magnan et Delamonce, XVIIᵉ et XVIIIᵉ siècle), témoignage de l'architecture baroque à Lyon.

The weavers' school, built between 1927 and 1933 by Tony Garnier, the Charterhouse building (seventeenth century) and the dome of Saint-Bruno's Church (Magnan and Delamonce, architects, seventeenth and eighteenth centuries), are examples of Baroque architecture in Lyon.

Pierre sculptée, reprise d'un édifice religieux dé[m]
pour être réemployée à la construction d'un[e]
immeuble atelier, rue Imbert-Colomès.

*A carved stone, retrieved from a demolished religio[us]
building and re-used in a workshop, rue Imbert-Colom[ès].*

La place du Forez et la façade baroque de l'église
Saint-Polycarpe (architecte : Toussaint Loyer).

*Place Forez and the Baroque facade of Saint Polycarpe's Church
(Toussaint Loyer, architect).*

Cage d'escalier monumentale dans l'ancien couvent des Feuillants (XVIIᵉ siècle) restauré et transformé en logements.

Monumental staircase in what used to be the Feuillants monastery (17th century), now restored and converted into housing.

La place des Terreaux, avec l'Hôtel de Ville (architectes : Simon Maupin puis Jules Hardouin-Mansart, XVIIe siècle).
et le palais Saint-Pierre, principal lieu de spectacles pendant la Fête des Lumières (création Skertzò 2002).

Place des Terreaux, the City Hall (Simon Maupin puis Jules Hardouin-Mansart, architects; 17th century),
the Palais Saint-Pierre, where the main light shows of the Festival of Lights are produced (Skertzò 2002).

Au sud de la colline de la Croix-Rousse, entre Saône et Rhône, la Presqu'île est le quatrième quartier du *Site historique de Lyon*. Bâti autour de son église, dédiée à Saint-Nizier, ce quartier de « bourgeois » reste longtemps en rivalité avec les seigneurs de l'autre rive : l'archevêque et les chanoines-comtes du chapitre de Saint-Jean.

C'est là, qu'à partir du XVIIe siècle, la bourgeoisie lyonnaise constitue sa puissance, une puissance toujours affirmée avec une certaine retenue, mais qui se donne tout de même à lire dans quelques constructions monumentales comme l'Hôtel de Ville, le palais Saint-Pierre et son cloître, qui hébergeait les religieuses descendant de riches familles, la chapelle de La Trinité de l'unique collège dont la ville se contenta longtemps, l'Hôtel-Dieu considérablement agrandi par Jacques-Germain Soufflot, puis le Palais du Commerce, où siégeait la Bourse, et encore l'Opéra et le théâtre des Célestins.

South of the Croix Rousse hill, between the Rhône and the Saône, the Presqu'île is the fourth section of the Lyon Historic Site. *This "bourgeois" neighborhood, built around Saint Nizier Church, was for a long time the rival of the nobility on the other shore: the Archbishop and the noble Canons of the Chapter of Saint John. Here it was that the Lyon bourgeoisie built up its power, a power always asserted with restraint, but that can be read in some of the major buildings, such as the City Hall, the Palais Saint Pierre with its cloister, inhabited by nuns descended from wealthy families, Trinity Chapel in the single college that the city for many years made do with, the Hotel Dieu Hospital, considerably enlarged by Jacques-Germain Soufflot, not to mention the Trade Building, where the Stock Exchange was located, and again the Opera and the Celestine Theater.*

Le palais des Beaux-Arts et son jardin intérieur, aménagé dans l'ancien cloître des Dames de Saint-Pierre (architecte: F. de Royer de la Valfenière, XVIIe siècle).

The Fine Arts Museum and its central garden, built in the former cloister of the Ladies of Saint Pierre (F. de Royer de la Valfenière, architect, 17th century).

L'Opéra (architectes: Antoine-Marie Chenavard, XIXe siècle et Jean Nouvel, XXe siècle).

The Opera (architects: Antoine-Marie Chenavard, in the 19th century, and Jean Nouvel, in the 20th).

Cour haute de l'Hôtel de Ville, « habillée » de bleu lors d'une Fête des Lumières.

The upper courtyard in the City Hall, "clad" in blue for the Festival of Light.

Bouquinistes, quai de la Pêcherie.

Bookstalls on the quai de la Pêcherie.

L'église Saint-Nizier, vue depuis la place du Change, dans l'axe de l'ancien pont de pierre reliant la Presqu'île au Vieux-Lyon.

Saint Nizier Church from the Place du Change, along the line of where the stone bridge that linked Old Lyon with the Presqu'île used to be.

55

Eglise Saint-Nizier: Saint Pierre et sa clé, au pied de la flèche septentrionale de l'église; la mère de la Vierge (détail de la façade occidentale); la croisée du transept.

Saint Nizier Church: Saint Peter and his key at the foot of the north spire of the church; the mother of the Virgin (detail from the west facade); the transept crossing.

Cour de l'ancien hôtel de la Couronne, premier Hôtel de Ville, actuel musée de l'Imprimerie : Lyon fut un des premiers grands foyers européens d'édition de livres.

Courtyard in the old Crown House, the first City Hall, now the Printing Museum: Lyon was one of the first great centers of book publishing..

Chapelle de La Trinité (architecte : Père Martellange) :
nef et détail de l'autel du XVIIᵉ siècle.

*Trinity Chapel (Father Martellange, architect): nave and
detail of the 17th century altar.*

59

La fontaine de la place des Jacobins (architecte : Gaspard André), érigée à l'emplacement de l'église du même nom, honore quatre grands Lyonnais : l'architecte Philibert de l'Orme, le sculpteur Guillaume Coustou, le graveur Gérard Audran et le peintre Hippolyte Flandrin.

The fountain on the Place des Jacobins (Gaspard André, architect), where the Jacobin Church once stood, honors four great Lyonnais: the architect, Philibert de l'Orme, the sculptor Guillaume Coustou, the engraver Gérard Audran and the painter Hippolyte Flandrin.

Le théâtre des Célestins (architecte : Gaspard André) comme « redessiné » par un artiste lors d'une Fête des Lumières.

The Celestine Theater, by Gaspard André, as if redesigned by an artist for the Festival of Lights.

Dôme de la grande chapelle de l'Hôtel-Dieu
(architecte : Jacques-Germain Soufflot, XVIIIᵉ siècle).

*Dome of the main chapel in the Hotel Dieu Hospital
(Jacques-Germain Soufflot, architect, 17th century).*

Place de la Bourse (architecte paysagiste : Chemetov),
Palais du Commerce et son ancienne salle de la Corbeille
(architecte : René Dardel).

Place de la Bourse (landscaping by Chemetov),
the Trade Building with its old trading pit (René Dardel, architect).

Partie de la rue Mercière ayant échappé à "la boule" des démolisseurs au cours des années 1960-1970.

A section of the rue Mercière that escaped the wrecking ball in the 1960s and 70s.

La place Antonin-Poncet, près de Bellecour,
accueille chaque hiver la Grande Roue de Lyon.

The Lyon Ferris Wheel comes to Place Antonin Poncet,
near Bellecour, every winter.

Au cœur de la ville, la place Bellecour offre son vaste espace
 à toutes sortes de manifestations.

*At the center of the city, Place Bellecour provides an enormous
space for every kind of event.*

Porte cochère du 29, place Bellecour.
Carriage entrance, 29 Place Bellecour.

Le musée des Tissus, dans l'hôtel de Villeroy (ancien siège du gouvernement de la ville), rue de la Charité : la grille de l'entrée et l'escalier d'honneur.

The Fabric Museum, in the Hotel Villeroy (formerly the seat of the city government), rue de la Charité: the entrance gate and the main staircase.

L'abbaye d'Ainay accueillait les rois de France de passage à Lyon. La basilique romane est un des plus anciens édifices de la ville.

Ainay Abbey lodeged the kings of France when they were going through Lyon. The Romanesque basilica is one of the oldest buildings in the city.

LA RIVE GAUCHE DU RHÔNE

Trop à l'étroit à l'intérieur de ses limites, la ville s'étend, à partir du XIXe siècle, sur la rive gauche du Rhône, annexant bientôt le faubourg de la Guillotière, multipliant les ponts pour favoriser les échanges avec les quartiers plus anciens.

Cette « marche vers l'est », caractéristique du développement de Lyon, continue tout au long du XXe siècle avec notamment, près des Brotteaux, l'aménagement d'un centre administratif et commercial sur le site d'une ancienne caserne de Cuirassiers, à la Part-Dieu.

Aujourd'hui, l'extension se poursuit vers le sud, reconvertissant les quartiers industriels de Gerland, tandis qu'un imposant projet de réaménagement de friches, à l'extrémité méridionale de la Presqu'île, tout près du Confluent, est en cours de réalisation.

Cramped in its geographical confines, starting in the nineteenth century the city spread onto the left village of la Guillotière and building more bridges to favor exchanges with the older districts.

This "march toward the east" became a characteristic of Lyon's development, and continued throughout the twentieth century, including among other things the conversion of a former cavalry camp into an administrative and commercial complex at the Part Dieu.

Today's expansion is toward the south, with new developments under way in the industrial district of Gerland as well as an ambitious project to restructure the unused land at the southern end of the Presqu'île, where the two rivers flow together.

La Cité internationale (architecte : Renzo Piano), XXe - XXIe siècle abrite le palais des Congrès, le musée d'Art contemporain, un complexe cinématographique, un grand hôtel, ainsi que des logements et des bureaux.

The International Complex (Renzo Piano, architect, 20th & 21st centuries) includes a Convention Center, a Contemporary Art Museum, a cinema multiplex, a major hotel, together with dwellings and offices.

Le parc de la Tête-d'Or, créé au milieu du XIXe siècle par les frères Bühler, des paysagistes suisses, offre le calme de ses jardins à l'anglaise, la magnificence de sa grille monumentale et de ses grandes serres.

The Tête d'Or (Golden Head) Park, created in the mid-nineteenth century by the Bühler brothers, Swiss landscape architects, brings together the quiet of its English-style gardens and the magnificence of its monumental gateway and its great greenhouses.

*The disaffected Brotteaux railroad station (Stéphane d'Arbaut, architect), a historical monument
refurbished to house an auction hall, offices and several restaurants.*

Les « tours roses » de Lyon illustrent l'évolution singulière de l'architecture de la ville, depuis la Renaissance jusqu'au XXᵉ siècle.

Lyon's "pink towers" illustrate the unusual evolution of the city's architecture from the Renaissance through the 20th century.

Cour intérieure à galeries (clin d'œil à la Renaissance) et verrière du grand hôtel installé au sommet de la tour de la Part-Dieu (architecte : Araldo Cossuta).

The indoor galleried court (a nod to the Renaissance) and skylight in the luxury hotel at the top of the tower in the Part Dieu (Araldo Cossuta, architect)

Cour intérieure d'un immeuble contemporain au 233, cours Lafayette érigé pour le Groupe d'assurances Axa (architectes : Curtelin et Ricard).

The indoor courtyard of the contemporary Axa Insurance building at 233 cours Lafayette (Curtelin and Ricard, architects).

Un escalier moderne en vis dans le centre commercial (architecte : Alain Provost).

A modern spiral staircase in the shopping mall (Alain Provost, architect)

Lyon, ville des frères Lumière, de la photographie et du cinématographe, ville de toutes les lumières, offre aux gens d'images la chance de pouvoir saisir en toute saison les plus infimes vibrations de la lumière du jour.
Cadeau ultime, mais pas le moindre, Lyon donne de la lumière à la nuit même, métamorphosant les architectures par la magie d'artistes qui ont su éclairer nombre de ses édifices avant d'exporter leur talent à travers le monde.

Lyon, the city of the Lumière brothers, and of photography and the cinema, the city of every kind of light, gives "picture people" an opportunity to grasp in each season the slightest vibrations of the light of day.
The last gift, but not the least: Lyon gives light even at night, transforming architecture by the magic of artists that have lit up numerous buildings before they took their talents out to the rest of the world.

Depuis quelques années, grâce notamment à la présence de plus en plus importante d'une jeunesse venue entreprendre des études dans ses universités et ses grandes écoles, Lyon, ville sérieuse, s'est forgé une image plus souriante, plus détendue, et s'est donné une véritable aura culturelle comme en attestent les rencontres « au sommet » que favorisent la Biennale de la danse (avec son défilé populaire), la Biennale d'Art contemporain, la Fête des Lumières, les Nuits de Fourvière, le Festival de Musique Ancienne de Lyon, ainsi que les nombreuses manifestations artistiques proposées tout au long de l'année dans les différents théâtres, salles de concert ou palais d'expositions.
Osons dire que Lyon a de plus en plus de rendez-vous avec le monde.

Over the last few years, thanks in particular to the presence of a growing number of young people in its Universities and "Grandes Ecoles", the serious city of Lyon has fashioned a friendlier, more relaxed image, and has wrapped itself in a genuine glow of culture, to which high-level contacts bear witness, with events like the Biannual Dance Festival, with its people's parade, the Biannual Contemporary Art Festival, the Festival of Light, Nights at Fourvière, the Lyon Ancient Music Festival, not to mention innumerable art events all year long, in theaters and concert and exhibit halls.
Let it be said that Lyon has more and more meetings with the world.

Le défilé de la Biennale de la danse.

The parade for the Biannual dance festival.

8 décembre... la fête traditionnelle : des lumignons éclairent les fenêtres des immeubles sur les bords de la Saône.

On December 8th... the traditional festival: little candles light up the window ledges along the Saône.

A droite... la fête actuelle : installation lumineuse sur le Rhône (« Nature mature », par François Magros).

Right... the contemporary festival: a light show on the Rhône (Mature Nature", by François Magros).

Pages suivantes : Mise en lumière des chevets de la cathédrale Saint-Jean et de la basilique de Fourvière ainsi que des « pavillons » de la Cité internationale.

Overleaf: The chevets of Saint John Cathedral and of the basilica at Fourvière and the "pavilions" at the International Complex.

Autre Regard sur ...
Dans la même collection
Grenoble entre lacs et montagnes

Achevé d'imprimer en mai 2005
sur les presses de l'imprimerie Grafiche Zanini Bologne (Italie)
Photogravure: Libris et Graphiscann
Dépôt Légal: 2 eme trimestre 2005